오정희

1947년 서울에서 출생하였으며 서라벌예대 문예창작과(현 중앙대학교 문예창작과)를 졸업했습니다. 1968년 중앙일보 신춘문예 단편 소설 부문에 당선되었으며, 이상문학상, 동인문학상, 오영수문학상, 불교문학상, 동서문학상, 독일 리베라투르 문학상을 수상하였습니다. 창작집으로는 《불의 강》《유년의 뜰》《불꽃놀이》《새》 등이 있으며, 수필집 《내 마음의 무늬》, 짧은 소설집 《돼지꿈》《가을 여자》, 동화집 《송이야, 문을 열면 아침이란다》 등이 있습니다.

김민지

대학에서 디자인을 전공한 후 JC엔터테이먼트와 디지털드림스튜디오에서 게임 캐릭터 디자인과 애니메이션 캐릭터 디자인 작업을 했습니다. 2003년부터 일러스트 작업을 시작했으며, 《작은 아씨들》《오즈의 마법사》《어린왕자》《이상한 나라의 앨리스》《튤슈를 사랑한다는 것은》《위대한 그림》 등 다수의 책에 그림을 그렸습니다. 홍콩, 대만 출판사와도 함께 책 작업을 하였으며, 대만 GAEA 출판사에서 김민지 일러스트콜렉션 《Lunavis》가 출간되었습니다.

옛날 옛적에 열넷

견우와 직녀

ⓒ글 오정희, 그림 김민지, 2013

펴낸날 1판 1쇄 2013년 3월 12일 인쇄 2013년 3월 27일 발행
글 오정희 ｜ **그림** 김민지 ｜ **디자인** 씨디자인
펴낸이 문상수 ｜ **펴낸곳** 국민서관(주) ｜ **출판등록** 1997년 8월 13일 제10-1479호
본부장 목선철 ｜ **편집** 유덕전 ｜ **제작** 마현우 ｜ **영업** 조병준, 조윤정, 김정범
주소 (413-832) 경기도 파주시 문발동 파주출판문화정보산업단지 514-4호
전화 영업 070-4330-7854 편집 070-4330-7861 ｜ **팩스** 070-4330-7855
홈페이지 http://www.kmbooks.com ｜ **카페** http://cafe.naver.com/kmbooks
ISBN 978-89-11-03068-2 77810 ｜ **값** 13,000원

이 도서의 국립중앙도서관 출판시도서목록(CIP)은 서지정보유통지원시스템 홈페이지(http://seoji.nl.go.kr)와 국가자료공동목록시스템(http://www.nl.go.kr/kolisnet)에서 이용하실 수 있습니다. (CIP제어번호: CIP2013001303)

견우와 직녀

오정희 글 | 김민지 그림

국민서관

여러분, 하늘을 한번 바라보셔요. 구름이 흘러가고 있지요?
옛날, 아주 먼 옛날, 구름보다 더 높은 곳 하늘나라에는
구름, 해님, 달님 들을 다스리는 임금님이 계셨답니다.

임금님에게는 따님이 한 분 있었는데,
베 짜는 일을 아주 좋아하여 직녀라고 불리었대요.
얼굴과 마음씨가 곱고 베를 짜는 솜씨가 훌륭하여
임금님의 사랑과 자랑이 그치지 않았답니다.

어느 날, 직녀는 아름다운 꽃들이 다투어 피고,

맑은 새소리 가득한 들판으로 나갔습니다.

그런데 어디선가 아름다운 피리 소리가 들려오는 게 아니겠어요?

직녀는 저도 모르게 그 소리에 이끌려 발을 옮겼습니다.

소가 한가롭게 풀을 뜯고 있는 나무 밑에서

피리를 불고 있는 청년은 견우였습니다.

견우는 직녀의 아름다운 모습에 눈이 부셨습니다.

직녀도 잘생기고 늠름한 견우의 모습에 마음이 이끌렸습니다.

견우가 직녀를 위해 다시금 피리를 불자

새들은 노래를 그치고 나뭇잎들은 살랑거림을 멈추었어요.

숲 속의 짐승들도 가까이 다가와 다소곳이 귀를 기울였지요.

직녀는 매일 들로 나가 견우를 만났습니다.

견우의 피리 소리는 날로 더욱 깊고 그윽해졌어요.

들판은 밝은 햇빛, 맑은 바람과 피리 소리로 가득하게 되었습니다.

이 소문은 널리 퍼져 마침 직녀의 신랑감을 구하시던

임금님의 귀에까지 들어갔어요.

임금님은 견우를 대궐로 부르셨습니다.

견우가 마음씨 착하고 부지런한 젊은이라는 것을 아시고

썩 만족해 하셨지요.

하늘나라에 큰 잔치가 벌어졌습니다.

견우와 직녀가 혼인을 하는 거예요.

"너희들은 이제 부부가 되었으니 견우는 더욱 열심히 소를 먹이고,

직녀는 베 짜는 일을 게을리하지 않도록 하라."

임금님이 말씀하셨어요.

행복한 나날이 꿈같이 흘렀습니다.

두 사람은 언제나 함께 있었어요.

견우는 소 먹이는 일보다 직녀와 손잡고 들에 나가

노는 것을 더 좋아했어요.

직녀의 방에서는 이제 베틀 소리가 들리지 않게 되었지요.

임금님은 이러한 견우와 직녀가 몹시 못마땅하셨어요.

그런데 정말 큰일이 일어났어요.

견우와 직녀가 놀러 나간 사이, 멋대로 내버려 둔 견우의 소가

임금님의 꽃밭을 마구 짓밟아 버렸지 뭡니까?

불같이 노하신 임금님은 당장 견우와 직녀를 불러들여
큰 벌을 내리셨어요.
"너희들이 이처럼 내 명령을 어기고 게으름을 부리는 것은
둘이 함께 있는 탓이다. 이제부터는 서로 떨어져 살며
잘못을 뉘우치고 나쁜 버릇을 고치도록 힘쓰라.
그러나 일 년 중 단 하루,
칠월 칠석날에 만나는 것만은 허락하겠노라."
견우와 직녀는 엎드려 용서를 빌었지만
임금님은 노여움을 거두지 않으셨습니다.

마침내 견우는 머나먼 동쪽하늘 끝으로,

직녀는 서쪽하늘 끝으로 떠나게 되었어요.

동쪽나라에서 떠오른 해님이 빛살처럼 빠르게 달려도

밤이 되어야 닿는 곳이 서쪽나라입니다.

그리고 그 사이에는 끝없이 넓고 깊은 은하수가 흐르고 있었지요.

견우를 그리는 마음에 직녀의 베틀은 눈물로 젖고,

견우는 탄식과 슬픔으로 날을 보내며

오직 직녀를 만날 수 있는 칠월 칠석날만을 기다렸습니다.

일 년이 지나 그토록 기다리던 날이 다가왔습니다.

견우와 직녀는 다리 아픈 줄도 모르고 여러 날을 걸어 은하수에 도착했어요.

그러나 아, 은빛으로 반짝이는 별들이 굽이치는 은하수는

얼마나 넓고 깊은 강이었는지요.

은하수를 사이에 두고 견우와 직녀는

안타까이 손짓만 하며 하염없이 눈물을 흘렸습니다.

하늘나라의 이 슬픈 눈물은 비가 되어 땅 위에까지 내렸어요.
큰물이 져서 집과 논밭, 숲 들이 온통 물에 잠기게 되었습니다.

먹이를 구할 수 없게 된 숲 속 동물들이 모여 의논을 했어요.

이 비는 견우와 직녀가 만나지 못해 흘리는 눈물이니,

비를 그치게 하려면 두 사람을 만나게 하는 방법밖에 없겠지요?

"우리가 두 사람을 위해 다리를 놓아 주자.

우리는 튼튼한 머리와 날개가 있잖아?"

마음씨 착하고 영리한 까치와 까마귀가 말했습니다.

세상의 모든 까치와 까마귀가 은하수를 향해 힘차게 날아올랐습니다.

은하수에 이르자 머리와 머리를 잇대어 다리를 만들었습니다.

견우와 직녀는 얼마나 기뻤을까요.
그들은 까치와 까마귀와 만들어 준 다리를
단숨에 건너가 얼싸안았습니다.

그 후 해마다 칠월 칠석날이면

모든 까치와 까마귀들은 은하수로 날아 올라가고,

그들이 만든 다리를 '오작교'라고 부르게 되었답니다.